Wonderstruck Books

Kansas City, KS

Published by Wonderstruck Books, Kansas City, KS
ISBN: 978-0998088617
Cover Design by Danyelle Ferguson

Front cover photography by S847
Interior Graphic Design credits:
Caitlin @ Striped Elephants, Marlene @ The Creative Mill, Miss Tiina, and Alisa Foytik @ Graphic Market

To My Great Aunt Erma - From my favorite flannel night gowns as a little girl to teaching me how to sew my first skirt in junior high, you were truly an incredible sewing mentor. Thank you for sharing your talents and creating memories that I'll hold in my heart forever. With love from here to Heaven.

Project
Photo

Start Date ______________________________

Pattern ______________________________

Fabrics & Yardage ______________________________

____

____

____

Threads ______________________________

Trim, Notions and Other Notes

Completion Date

Start Date ________________________________

Pattern ___________________________________

Fabrics & Yardage __________________________

____

____

____

Threads ___________________________________

Trim, Notions and Other Notes

Completion Date

Life is sew beautiful.

Project Photo

Start Date ______________________________

Pattern ________________________________

Fabrics & Yardage _______________________

____

____

____

Threads ________________________________

Trim, Notions and Other Notes

____

____

____

____

____

____

____

____

____

____

____

____

____

____

____

Completion Date ______________________________

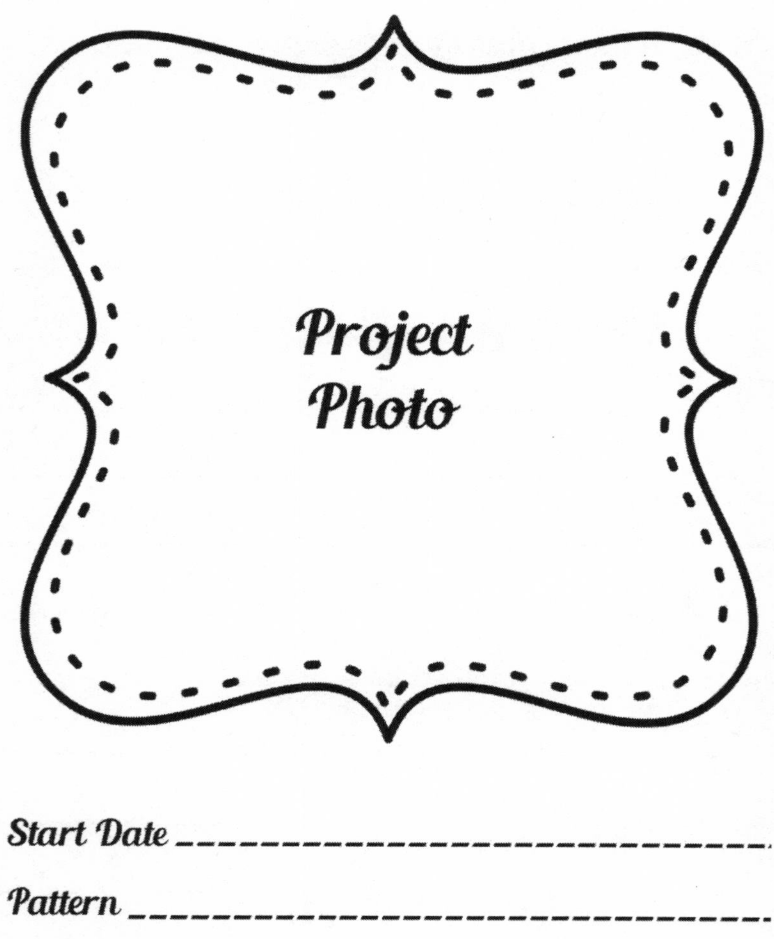

Start Date ________________________________

Pattern ________________________________

Fabrics & Yardage ________________________

____

____

____

Threads ________________________________

Trim, Notions and Other Notes

Completion Date ______________________

Measure twice

Project
Photo

Cut once

Start Date ______________________________

Pattern ______________________________

Fabrics & Yardage ______________________________

____

____

____

Threads ______________________________

Trim, Notions and Other Notes

____

____

____

____

____

____

____

____

____

____

____

____

____

____

____

Completion Date ________________________

Start Date ________________________________

Pattern ___________________________________

Fabrics & Yardage __________________________

____

____

____

Threads ___________________________________

Trim, Notions and Other Notes

____

____

____

____

____

____

____

____

____

____

____

____

____

____

____

Completion Date ________________________

Project
Photo

Start Date ________________________________

Pattern ________________________________

Fabrics & Yardage ________________________

____

____

____

Threads __________________________________

Trim, Notions and Other Notes

Completion Date

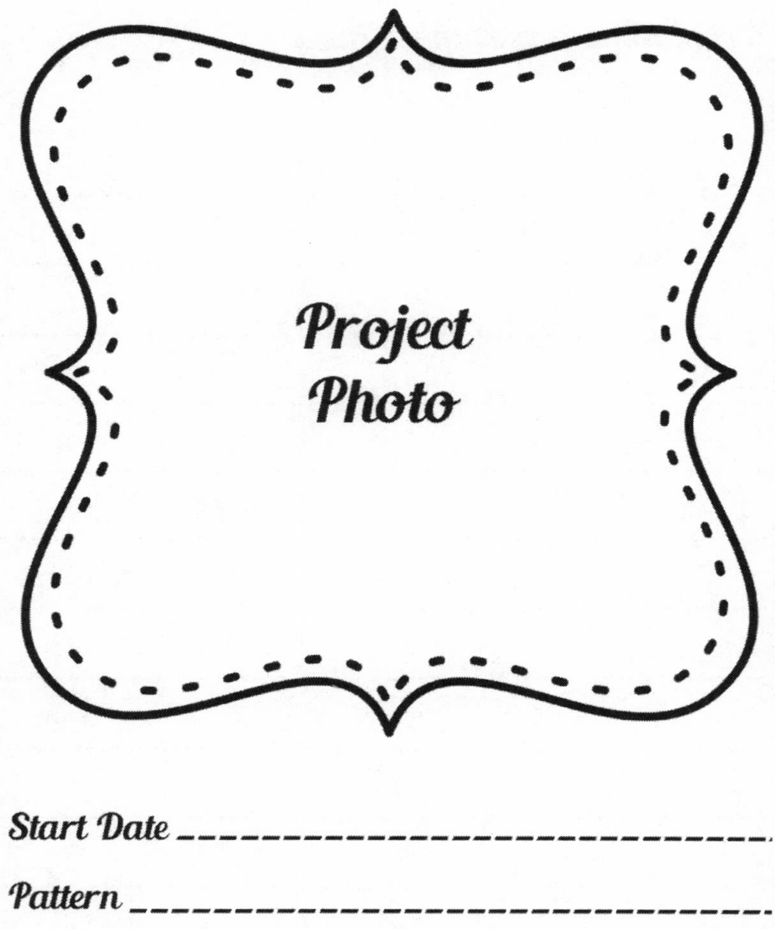

Start Date ________________________________

Pattern ___________________________________

Fabrics & Yardage __________________________

____

____

____

Threads ___________________________________

Trim, Notions and Other Notes

Completion Date ____________________

I'm working on my PhD
Project
Photo
Projects Half Done
Start Date
Pattern
Fabrics & Yardage
Threads

Trim, Notions and Other Notes

Completion Date ____________________

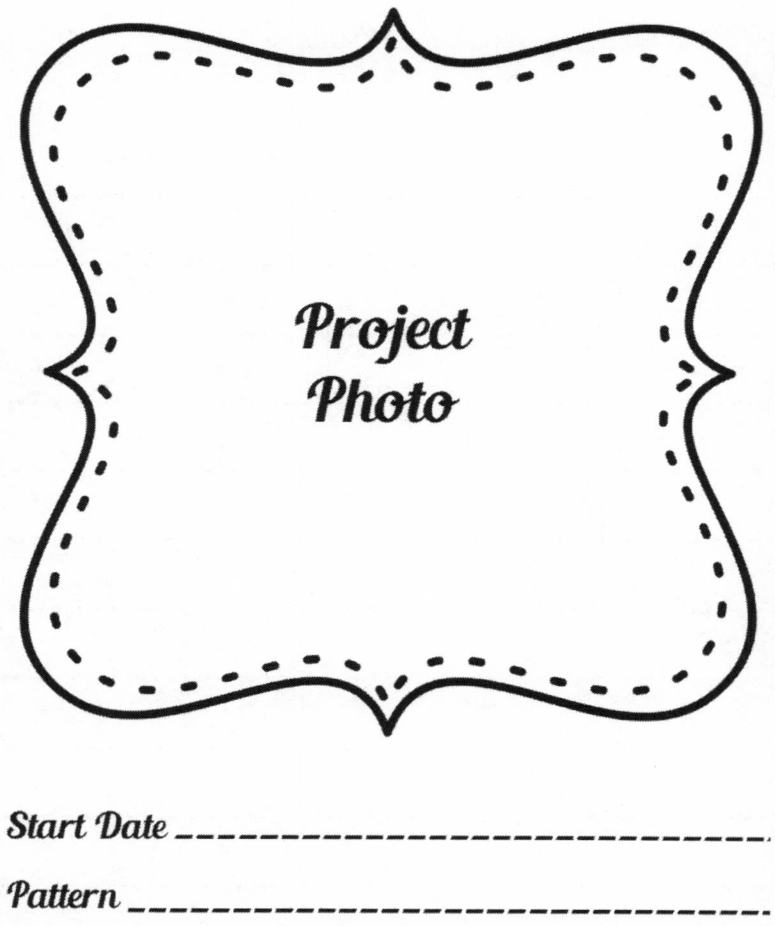

Start Date ________________________________

Pattern ___________________________________

Fabrics & Yardage __________________________

____

____

____

Threads ___________________________________

Trim, Notions and Other Notes

Completion Date

"Creativity is a contagious passion."

Project Photo

- Albert Einstein

Start Date ________________________________

Pattern __________________________________

Fabrics & Yardage __________________________

____

____

____

Threads __________________________________

Trim, Notions and Other Notes

Completion Date ______________________

Start Date ________________________________

Pattern __________________________________

Fabrics & Yardage __________________________

____

____

____

Threads __________________________________

Trim, Notions and Other Notes

Completion Date

Project Photo

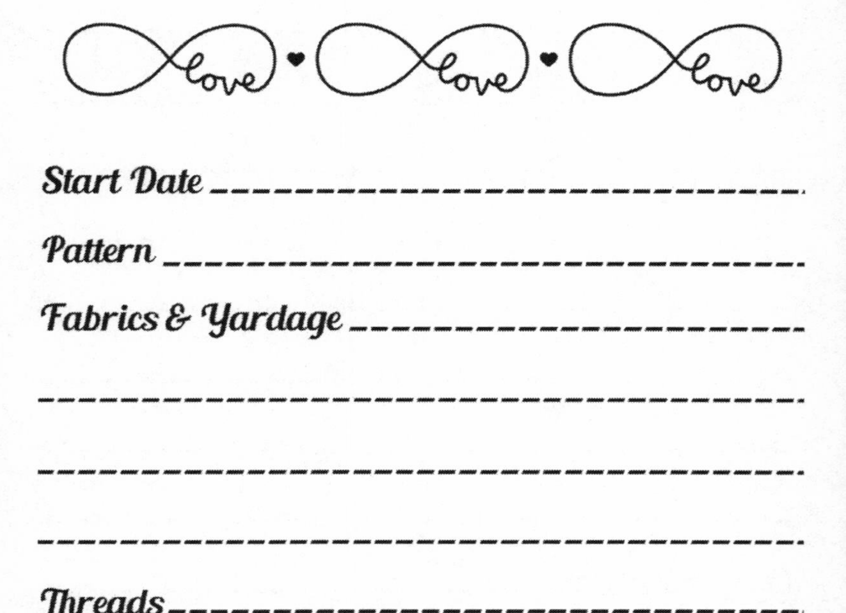

Start Date ______________________________

Pattern ______________________________

Fabrics & Yardage ______________________________

____

____

____

Threads ______________________________

Trim, Notions and Other Notes

Completion Date

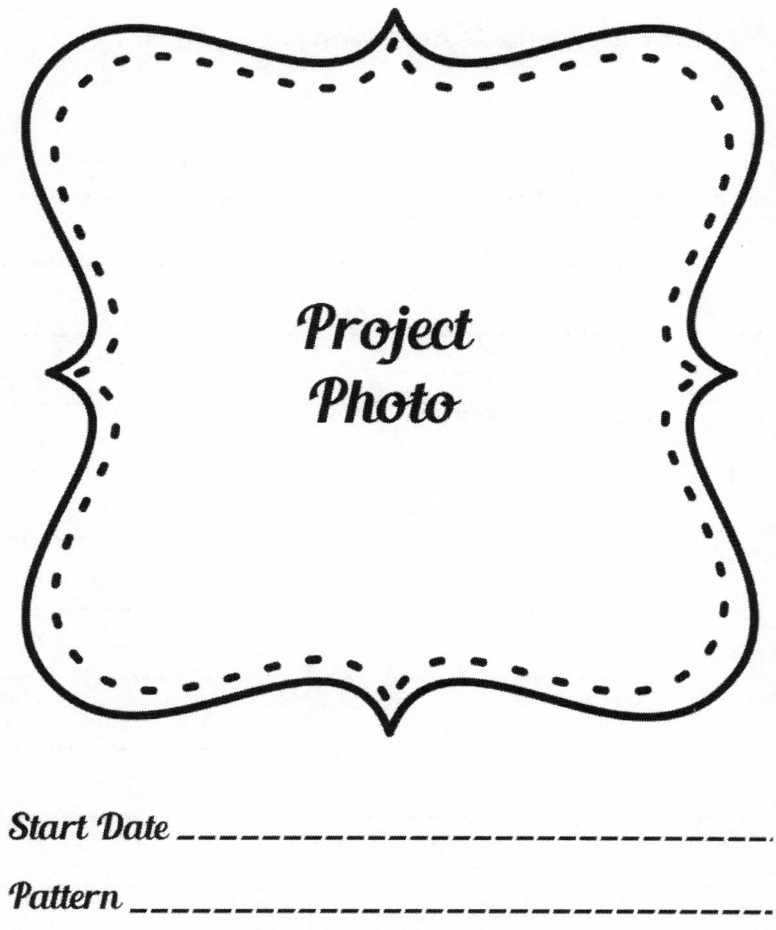

Start Date ___________________________________

Pattern _____________________________________

Fabrics & Yardage ____________________________

____

____

____

Threads _____________________________________

Trim, Notions and Other Notes

Completion Date

KEEP CALM

Project
Photo

and sew on

Start Date ________________________________

Pattern ___________________________________

Fabrics & Yardage _________________________

____

____

____

Threads ___________________________________

Trim, Notions and Other Notes

Completion Date

Start Date ________________________________

Pattern ________________________________

Fabrics & Yardage ________________________

____

____

____

Threads ________________________________

Trim, Notions and Other Notes

Completion Date

Project
Photo

MENDS THE SOUL

Start Date ___________________________

Pattern ______________________________

Fabrics & Yardage _____________________

____

____

____

Threads ______________________________

Trim, Notions and Other Notes

Completion Date

Start Date ________________________________

Pattern ________________________________

Fabrics & Yardage ________________________________

____

____

____

Threads ________________________________

Trim, Notions and Other Notes

Completion Date

Start Date ______________________________

Pattern ________________________________

Fabrics & Yardage _______________________

____

____

____

Threads ________________________________

Trim, Notions and Other Notes

____

____

____

____

____

____

____

____

____

____

____

____

____

____

____

Completion Date ____________________________

Start Date ______________________________

Pattern ________________________________

Fabrics & Yardage _______________________

____

____

____

Threads ________________________________

Trim, Notions and Other Notes

Completion Date

Project Photo

Start Date ______________________________

Pattern ______________________________

Fabrics & Yardage ______________________________

____

____

____

Threads ______________________________

Trim, Notions and Other Notes

Completion Date

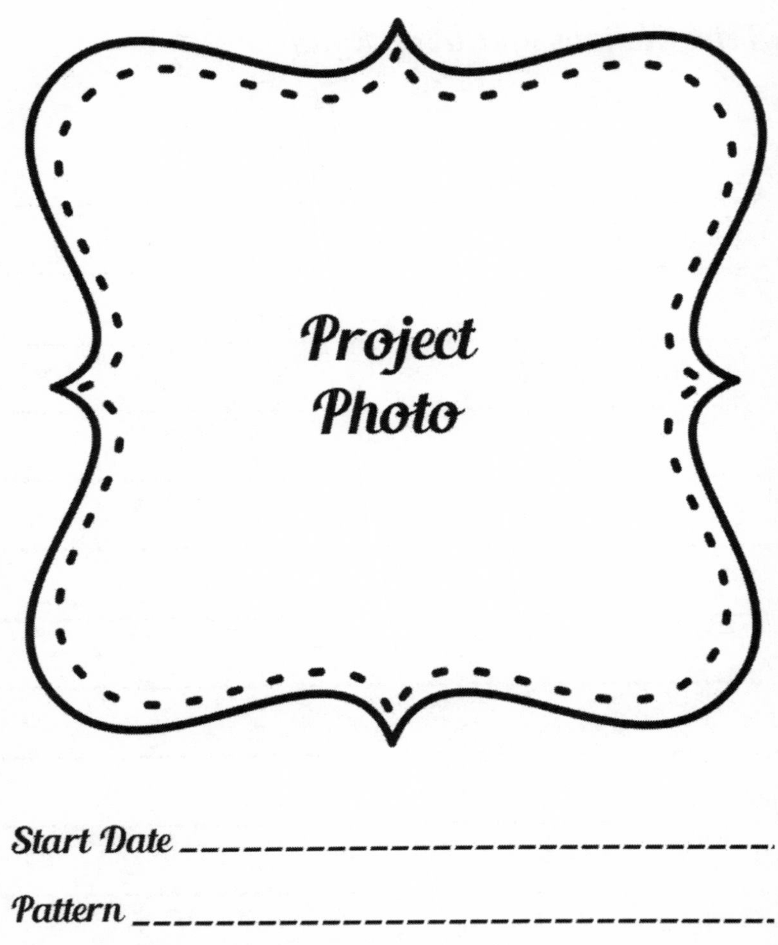

Start Date ________________________________

Pattern ___________________________________

Fabrics & Yardage __________________________

____

____

____

Threads ___________________________________

Trim, Notions and Other Notes

Completion Date

Life is sew beautiful.

Project
Photo

Start Date ____________________

Pattern ____________________

Fabrics & Yardage ____________________

____

____

____

Threads ____________________

Trim, Notions and Other Notes

Completion Date

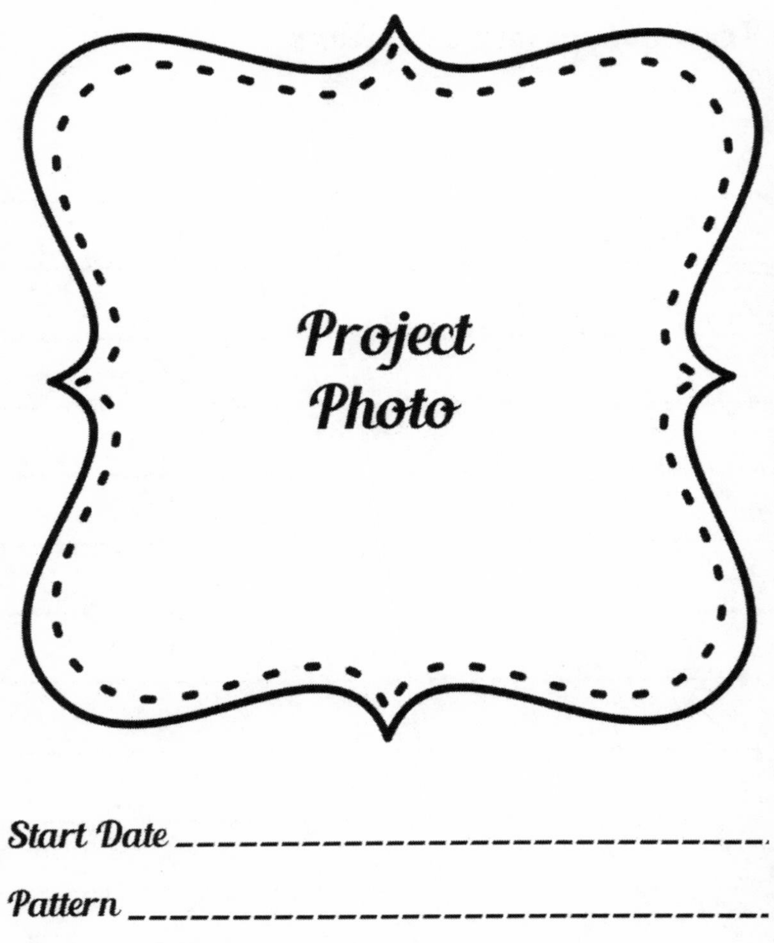

Start Date ______________________________

Pattern ______________________________

Fabrics & Yardage ______________________________

____

____

____

Threads ______________________________

Trim, Notions and Other Notes

Completion Date

Measure twice

Project
Photo

Cut once

Start Date ________________________________

Pattern ___________________________________

Fabrics & Yardage __________________________

____

____

____

Threads ___________________________________

Trim, Notions and Other Notes

Completion Date

Start Date ______________________________

Pattern ______________________________

Fabrics & Yardage ______________________________

____

____

____

Threads ______________________________

Trim, Notions and Other Notes

Completion Date

Project
Photo

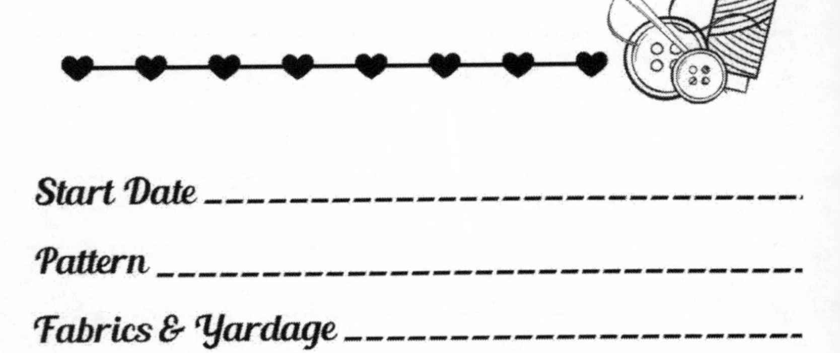

Start Date ______________________________

Pattern ______________________________

Fabrics & Yardage ______________________________

____

____

____

Threads ______________________________

Trim, Notions and Other Notes

Completion Date

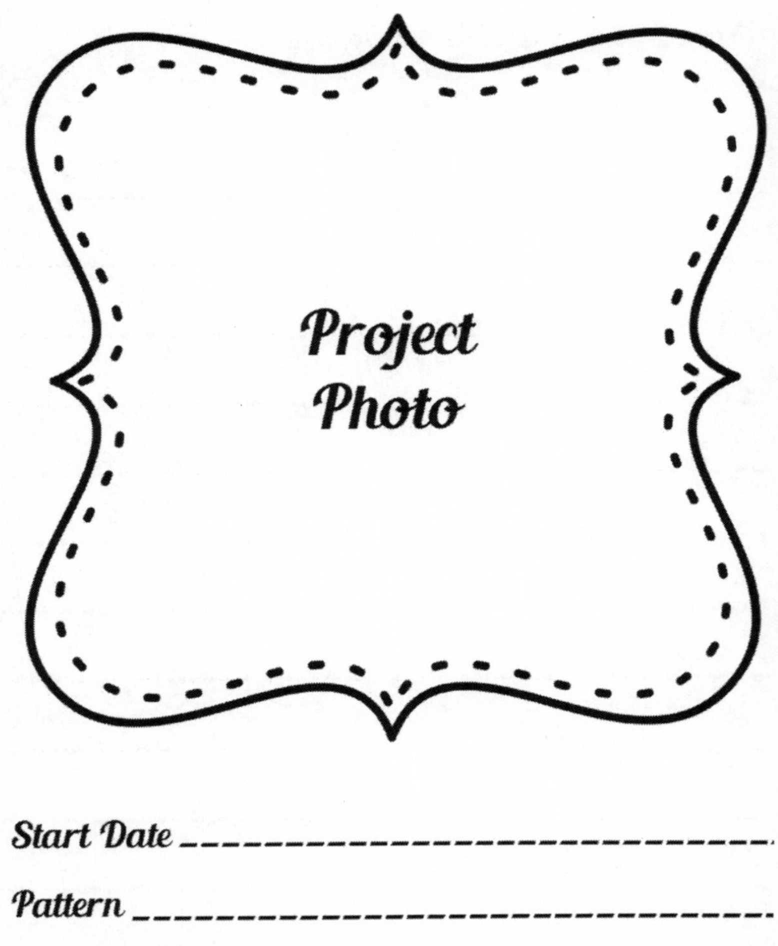

Start Date ________________________________

Pattern ________________________________

Fabrics & Yardage ________________________________

____

____

____

Threads ________________________________

Trim, Notions and Other Notes

Completion Date

Start Date ______________________________

Pattern ______________________________

Fabrics & Yardage ______________________________

____

____

____

Threads ______________________________

Trim, Notions and Other Notes

Completion Date

Start Date ______________________________

Pattern ______________________________

Fabrics & Yardage ______________________________

____

____

____

Threads ______________________________

Trim, Notions and Other Notes

Completion Date

Start Date ________________________________

Pattern ________________________________

Fabrics & Yardage ________________________________

____

____

____

Threads ________________________________

Trim, Notions and Other Notes

____

____

____

____

____

____

____

____

____

____

____

____

____

____

____

Completion Date ______________________________

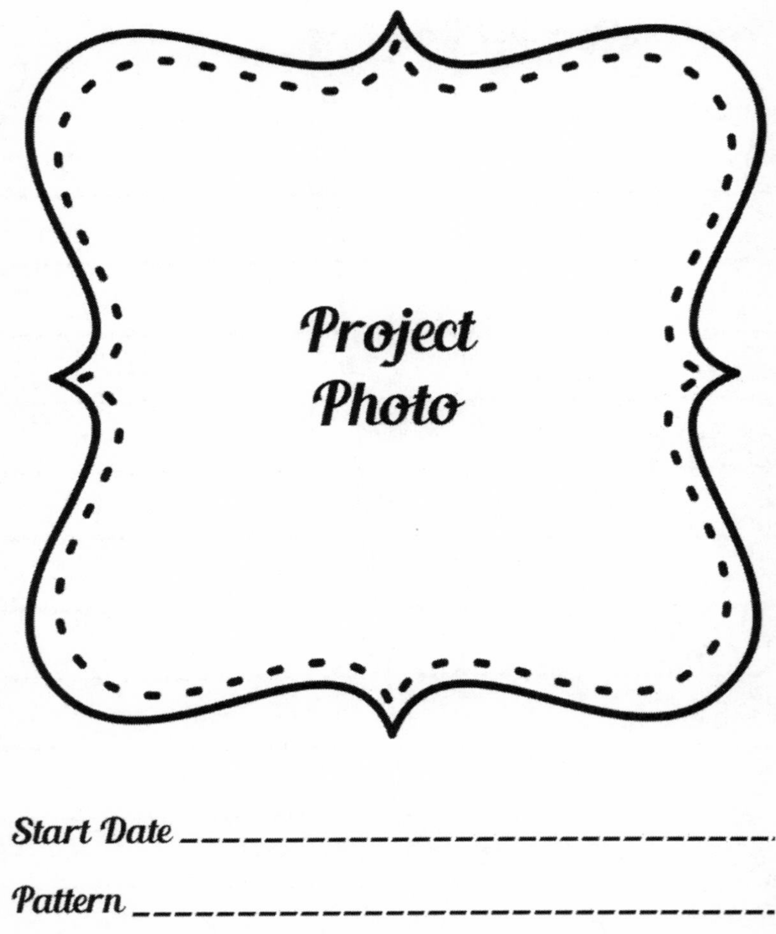

Start Date ________________________________

Pattern ________________________________

Fabrics & Yardage ________________________________

____

____

____

Threads ________________________________

Trim, Notions and Other Notes

Completion Date

Project Photo

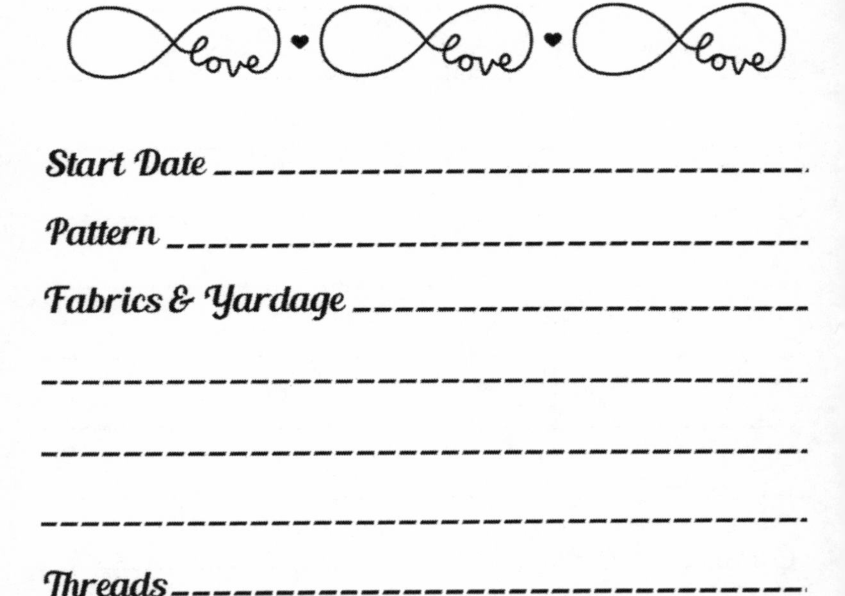

Start Date ____________________

Pattern ____________________

Fabrics & Yardage ____________________

____

____

____

Threads ____________________

Trim, Notions and Other Notes

Completion Date ______________________

Start Date ________________________________

Pattern ___________________________________

Fabrics & Yardage __________________________

____

____

____

Threads ___________________________________

Trim, Notions and Other Notes

____

____

____

____

____

____

____

____

____

____

____

____

____

____

____

Completion Date ________________________

KEEP CALM

Project
Photo

and sew on

Start Date ______________________________

Pattern ______________________________

Fabrics & Yardage ______________________________

____

____

____

Threads ______________________________

Trim, Notions and Other Notes

____

____

____

____

____

____

____

____

____

____

____

____

____

____

____

Completion Date ______________________________

Start Date ______________________________

Pattern ______________________________

Fabrics & Yardage ______________________

____

____

____

Threads ______________________________

Trim, Notions and Other Notes

Completion Date

About the Author

Danyelle Ferguson learned to sew in a 7th grade Home Economics class. After a frustrating week of ripping out stitches, she asked her Great Aunt Erma to help her figure out that darn sewing machine. Today, Danyelle is much better friends with fabric, needle and thread. She loves creating quilts and other fun bedroom items for her four boisterous children. Other than sewing, she stays busy trying to cram in her writing deadlines between the never-ending laundry pile and constant calls for mom. For more information about Danyelle and her award-winning books, please visit her website - www.DanyelleFerguson.com

Made in the USA
Columbia, SC
13 December 2021